이 책의 차례

로 만들어 공부하는

한글 낱말 사전

한글 낱말 사전 만들기

❶ 낱말 카드 뜯어내기

하루한장 낱말 쓰기 학습이 끝나면 낱말 카드를 조심히 뜯어냅니다.

❷ 한글 낱말 사전 만들기

뜯어낸 낱말 카드를 고리로 묶어 한글 낱말 사전을 만듭니다.

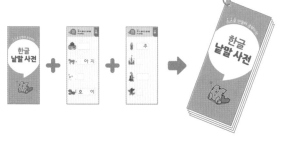

하루한장
한글완성으로
한글 완벽 대비!

이 책의 구성

본문

한글 읽기
간단한 문제로 한글 읽기 연습

한글 쓰기
그날의 낱말 또박또박 쓰기 연습

받아쓰기
재미있는 미션을 해결하면서 받아쓰기로 끝!

되돌아 보기

낱말 복습
놀이를 하며 2~4일 동안 배운 낱말 훑어보기

받아쓰기
불러 주는 낱말 받아쓰기

놀이터
재미있는 놀이로 학습을 즐겁게 마무리!

받침 ㅇ이 들어간 글자 ❶

한글 쓰기 받침 ㅇ이 들어간 글자를 써 보세요.

받침 ㅇ

호랑이에게 편지 쓰기 🔊

동물 농장에는 여러 동물들이 함께 살고 있어요. 그런데 숲에 사는 도깨비들이 자꾸 찾아와서 동물 친구들을 괴롭혀요.
동물 친구들은 옆 동네에 사는 호랑이 친구에게 도움을 요청하려고 해요. 호랑이에게 줄 편지를 함께 완성해 봐요.

 **한글 읽기** 가리키는 그림의 이름으로 알맞은 것을 골라 ◯표 하세요.

호랑이 / 호란이

논잠 / 농장

양 / 얌

솜아지 / 송아지

농 장

송 아 지

양

호 랑 이

3

 **한글 쓰기** 다음 낱말을 써 보세요.

 **받아 쓰기** 불러 주는 낱말을 빈칸에 써서 글을 완성해 보세요. 🔊

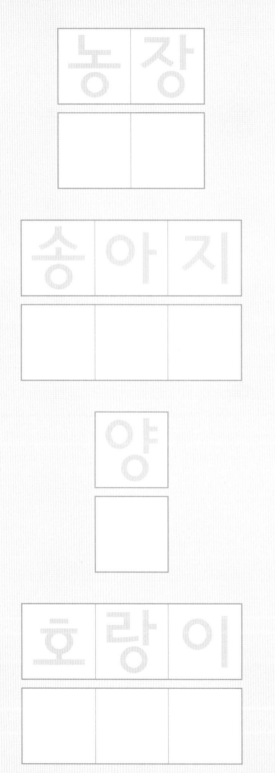

농장

송아지

양

호랑이

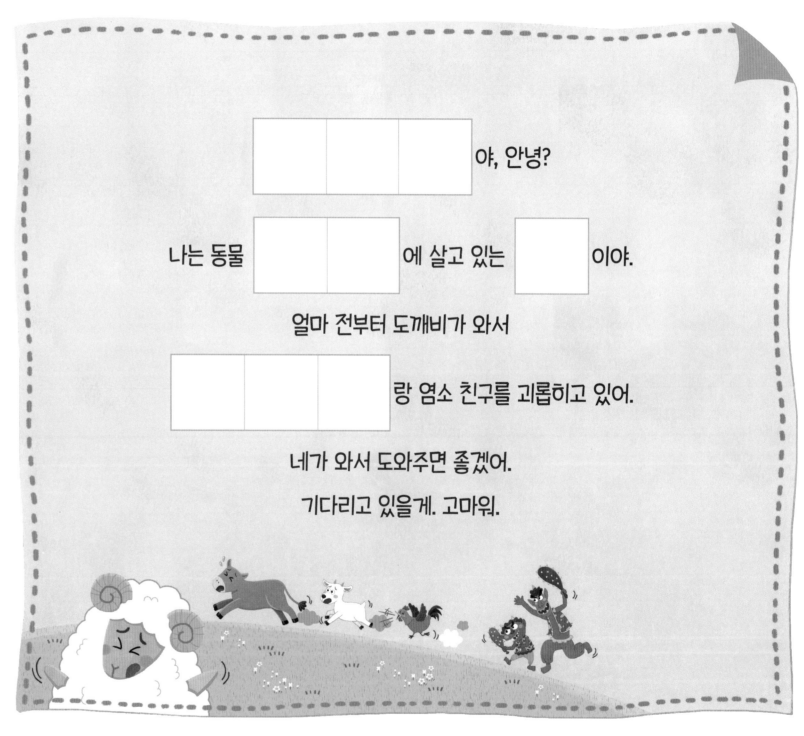

야, 안녕?

나는 동물 ☐☐ 에 살고 있는 ☐ 이야.

얼마 전부터 도깨비가 와서

☐☐☐ 랑 염소 친구를 괴롭히고 있어.

네가 와서 도와주면 좋겠어.

기다리고 있을게. 고마워.

반짝퀴즈 호랑이에게 편지를 쓰고 있는 동물은 누구인가요? 그림에 ○표 하세요.

도움말 이 부분을 뜯으면 오른쪽에서 온전한 받아쓰기가 가능합니다.

4

2

월 일

받침
ㅇ이 들어간 글자 ❷

음성과 정답

하루한장 앱에서
학습 인증하고
하루템을 모으세요!

한글
쓰기

받침
ㅇ이 들어간 글자를
써 보세요.

받침
ㅇ

영웅을 모으는 글 쓰기 🔊

미래 왕국에 커다란 용이 나타났어요. 왕국의 용감한 공주는 용에게 맞서기 위해 훌륭한 영웅들을 모으려고 해요. 멋진
영웅들이 많이 모일 수 있도록 글을 써 볼까요?

한글
읽기

각 그림에 알맞은 이름을 따라가 보세요.

5

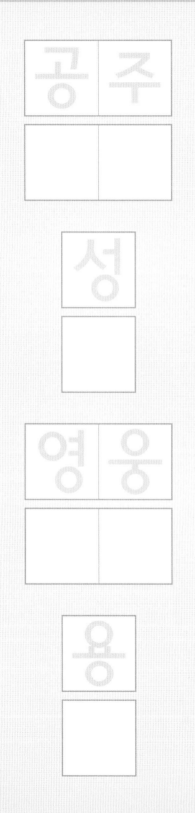

커다란 ☐ 이 우리 ☐ 을 공격하려고 해요.

용감한 ☐☐ 와 함께 힘을 합쳐 싸울

☐☐ 들은 언덕으로 모여 주세요.

반짝퀴즈 용이 공격하려는 곳은 어디인지 말해 보세요.

음성과 정답

하루한장 앱에서
학습 인증하고
하루템을 모으세요!

받아쓰기

불러 주는 낱말을 빈칸에 써 보세요.

도움말 아래의 낱말을 자유롭게 선택하여 오른쪽의 받아쓰기를 진행해 보세요. 오른쪽의 받아쓰기는 뜯어서 사용하세요.

 받침을 적어 그림의 이름을 완성하면 벽돌을 얻을 수 있어요. 벽돌을 모아 집을 지어 봐요.

호라이

노 자

서

소아지

야

요

고주

여 우

1

2

3

4

5

6

7

8

두 그림에서 서로 다른 부분을 다섯 군데 찾아 ◯표 하세요.

8

받침 ㅁ이 들어간 글자 ①

음성과 정답
하루한장 앱에서 학습 인증하고 하루템을 모으세요!

상현이의 그림일기 쓰기 🔊

오늘은 상현이네 가족이 소풍을 갔어요. 살랑살랑 봄바람을 맞으며 맛있는 음식을 먹었지요. 상현이는 오늘 하루를 떠올리며 그림일기를 썼어요. 상현이가 어떤 하루를 보냈는지 살펴보아요.

 **한글 읽기**

가리키는 그림의 이름으로 알맞은 붙임딱지를 붙여 보세요.

한글 쓰기 받침 ㅁ이 들어간 글자를 써 보세요.

받침 ㅁ

 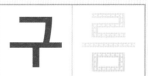
구름

김밥

바람

솜사탕

9

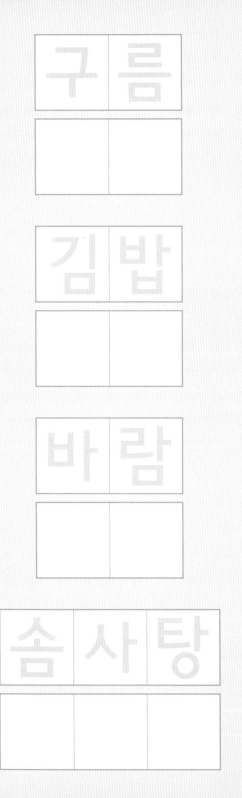

20○○년 ○○월 ○○일 ○요일   날씨: ☀

오늘 가족들과 소풍을 갔다.

하늘에 ☐☐ 이 예쁘게 떠 있고 ☐☐ 도 살랑살랑 불었다.

점심으로 우리 가족이 직접 싼 ☐☐ 을 맛있게 먹었고,

아빠가 간식으로 달콤한 ☐☐☐ 도 사 주셨다. 정말 행복한 하루였다.

반짝퀴즈 오늘 아빠가 상현이에게 사 주신 간식은 무엇인지 말해 보세요.

받침 ㅁ이 들어간 글자 ❷

음성과 정답
하루한장 앱에서 학습 인증하고 하루템을 모으세요!

한글 쓰기
받침 ㅁ이 들어간 글자를 써 보세요.

받침 ㅁ

어린이집 선생님의 알림장 쓰기 🔊

사슴 선생님은 동물 어린이집에서 일하고 있어요. 오늘 놀이 시간에 아기 곰이 기침을 했어요. 사슴 선생님은 엄마 곰에게 아기 곰의 상태를 알리려고 해요. 알림장에 어떤 내용이 담겼는지 함께 볼까요?

한글 읽기

각 그림에 알맞은 이름을 따라가 보세요.

힌 / 힘 / 도착 / 잠 / 기침 / 잔 / 기칩 / 강기 / 감기 / 출발

감기

기침

잠

힘

11

 **한글 쓰기** 다음 낱말을 써 보세요.

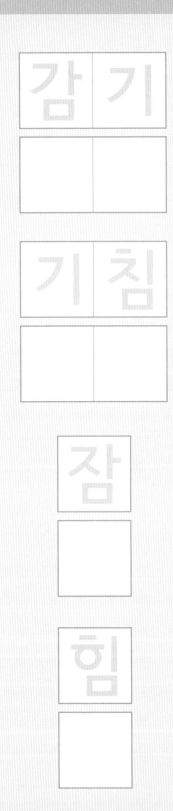

감기

기침

잠

힘

 **받아 쓰기** 불러 주는 낱말을 빈칸에 써서 글을 완성해 보세요.

부모님께

아기 곰이 놀이 시간에 　　　을 했어요.

　이 없는지 지금 　을 자고 있어요.

　　에 걸린 것 같으니

병원에 데려가 주세요.

반짝퀴즈 사슴 선생님은 아기 곰이 무엇에 걸렸다고 생각하는지 말해 보세요.

받침 **ㄹ**이 들어간 글자 ❶

하루한장 앱에서
학습 인증하고
하루템을 모으세요!

받침 **ㄹ**이 들어간 글자를
써 보세요.

받침 **ㄹ**

토리가 하는 일 소개하기 🔊

하늘에도 마을이 있다는 것을 알고 있나요? 토리는 하늘 마을에 살고 있는 어부예요. 하늘에서 반짝반짝 빛나는 별을
잡는 일을 하지요. 토리가 하는 일을 모르는 친구들이 많다고 해요. 우리 같이 토리를 소개하는 글을 써 볼까요?

 **한글 읽기**

가리키는 그림의 이름으로 알맞은 것을 골라 ○표 하세요.

하늘
하늠

보름단
보름달

그뭉
그물

볕
별

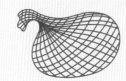 그

 별

 보 름

 하 늘

13

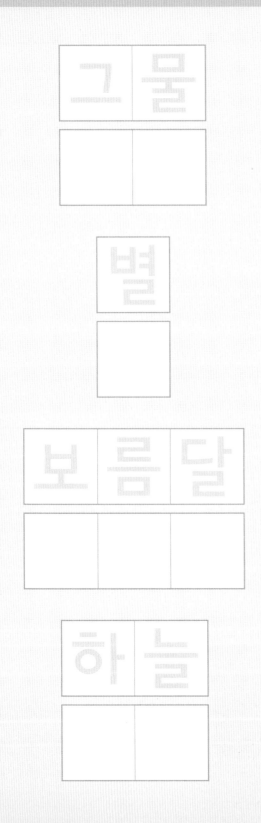

그물

별

보름달

하늘

 받아 쓰기 불러 주는 낱말을 빈칸에 써서 글을 완성해 보세요. 🔊

마을에 사는 토리는 어부예요.

이 뜨는 밤이 되면

구름을 타고 둥둥 떠다니다가

을 던져 을 잡아요.

반짝퀴즈 토리는 무엇을 던져 별을 잡는지 말해 보세요.

14

받침 ㄹ이 들어간 글자 ❷

음성과 정답

하루한장 앱에서
학습 인증하고
하루템을 모으세요!

용감한 탐험가들의 보물 찾기 🔊

우리는 용감한 탐험가예요. 숲속 괴물이 숨겨 둔 보물을 찾아다녔지요. 드디어 보물이 있는 곳이 적힌 종이를 발견했어요.
종이에 적힌 대로 따라갔더니 그토록 바라던 보물이 있네요! 종이에 어떤 내용이 담겨 있는지 함께 볼래요?

한글 읽기

가리키는 그림의 이름으로 알맞은 붙임딱지를 붙여 보세요.

한글 쓰기

받침 ㄹ이 들어간 글자를 써 보세요.

돌

동굴

발자국

보물

15

 **한글 쓰기** 다음 낱말을 써 보세요.

돌

동굴

발자국

보물

 받아 쓰기 불러 주는 낱말을 빈칸에 써서 글을 완성해 보세요.

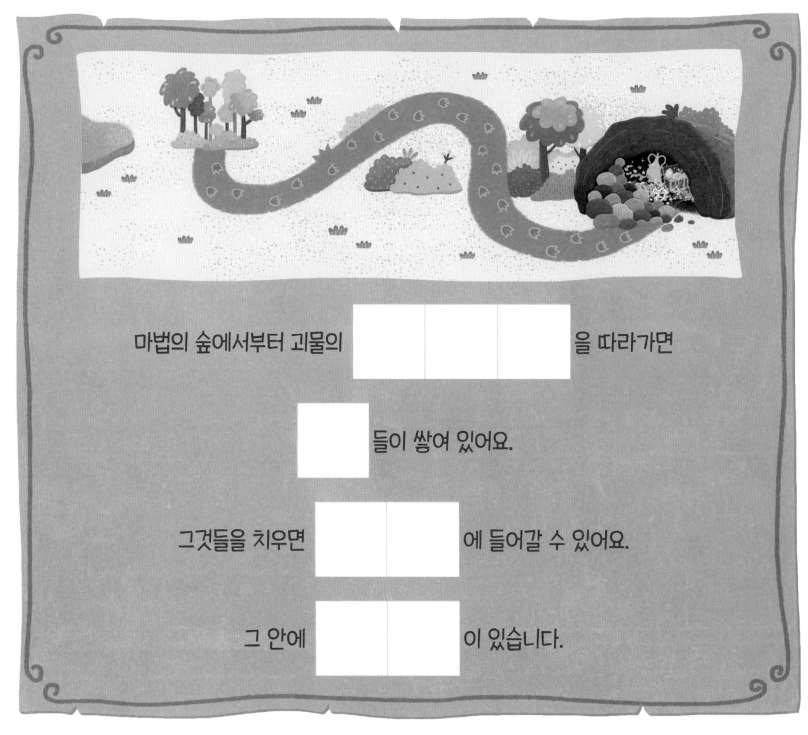

마법의 숲에서부터 괴물의 ⬜⬜⬜ 을 따라가면

⬜ 들이 쌓여 있어요.

그것들을 치우면 ⬜⬜ 에 들어갈 수 있어요.

그 안에 ⬜⬜ 이 있습니다.

반짝퀴즈 보물은 어디 안에 있는지 말해 보세요.

음성과 정답
하루한장 앱에서
학습 인증하고
하루템을 모으세요!

도움말 아래의 낱말을 자유롭게 선택하여 오른쪽의 받아쓰기를 진행해 보세요.

각 받침이 들어간 비눗방울만 나와요. 받침이 알맞지 않은 낱말에 △표 하세요.

'받침 ㅁ'이 들어간 비눗방울을 불었어.

그물
김밥
구름
바람
기침
감기
잠
솜사탕
받침 ㅁ

돌
하늘
동굴
보물
'받침 ㄹ'이 들어간 비눗방울을 불었어.
보름달
별
힘
발자국
받침 ㄹ

받아쓰기

불러 주는 낱말을 빈칸에 써 보세요.

1

2

3

4

5

17

6			

7			

8			

9			

10			

빈 곳에 들어갈 알맞은 조각을 보기 에서 찾아 ○표 하세요.

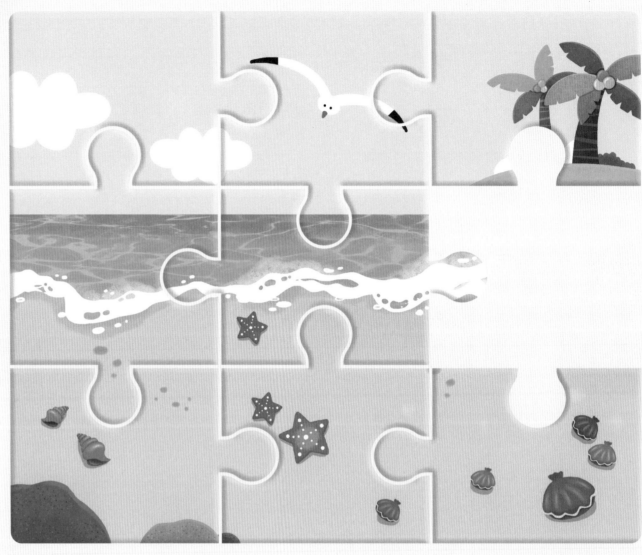

보기
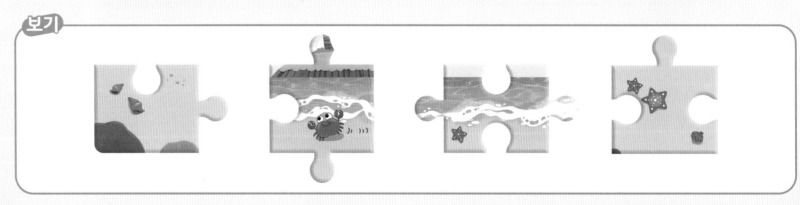

받침 ㄴ이 들어간 글자 ①

명탐정 눈눈이의 범인 찾기

명탐정 눈눈이에게 해결해야 할 사건이 생겼어요. 열심히 알아본 끝에 범인에 대한 몇 가지 단서를 알아냈지요. 눈눈이를
도와 범인을 찾아보세요!

 **한글 읽기**

가리키는 그림의 이름으로 알맞은 붙임딱지를 붙여 보세요.

 **한글 쓰기**

받침 ㄴ이 들어간 글자를 써 보세요.

  신발

  안경

 우산

 자전거

범인의 모습

1. ☐☐ 을 썼어요.

2. 신고 있는 ☐☐ 은 운동화예요.

3. ☐☐☐ 는 타지 않았어요.

4. ☐☐ 을 들고 있어요.

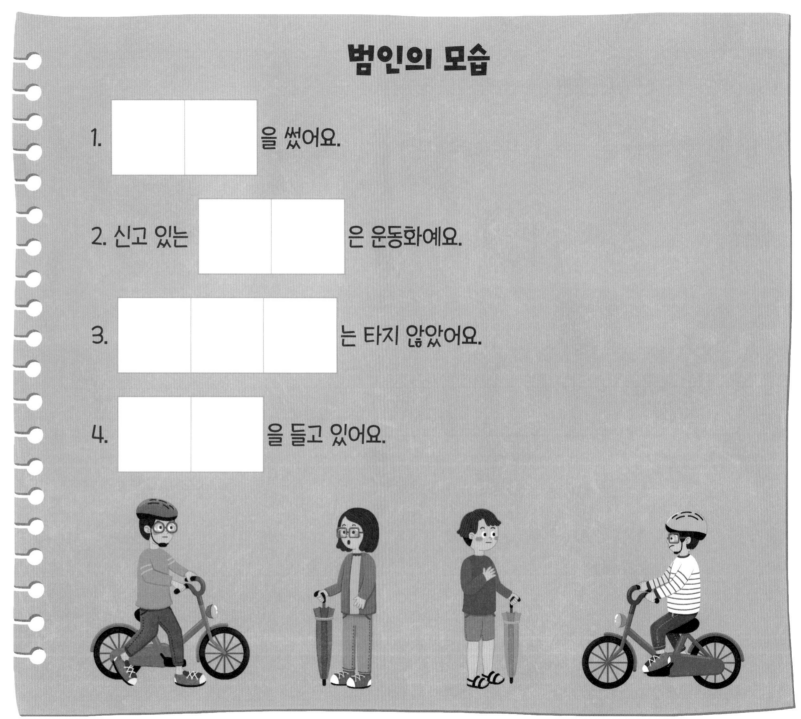

반짝퀴즈 눈눈이가 찾아야 하는 범인은 누구일까요? 그림에서 찾아 ○표 하세요.

20

 음성과 정답  하루한장 앱에서 학습 인증하고 하루템을 모으세요!

인어 공주 나나의 책 읽기 🔊

나나는 사람이 되고 싶은 인어 공주예요. 어느 날 나나는 바다 도서관에서 우연히 '인어가 사람이 되는 방법'을 설명한 책을 보았어요. 나나가 사람이 되려면 어떻게 해야 할까요? 함께 책을 읽고 방법을 알아보아요.

 **한글 읽기** 가리키는 그림의 이름으로 알맞은 붙임딱지를 붙여 보세요.

21

한글 쓰기 받침 ㄴ이 들어간 글자를 써 보세요.

받침 ㄴ

  문어

  반지

 손가락

 인어

받침 ㄴ이 들어간 글자 ❷

월 일

음성과 정답

하루한장 앱에서 학습 인증하고 하루템을 모으세요!

인어 공주 나나의 책 읽기

나나는 사람이 되고 싶은 인어 공주예요. 어느 날 나나는 바다 도서관에서 우연히 '인어가 사람이 되는 방법'을 설명한 책을 보았어요. 나나가 사람이 되려면 어떻게 해야 할까요? 함께 책을 읽고 방법을 알아보아요.

 **한글 읽기**

가리키는 그림의 이름으로 알맞은 붙임딱지를 붙여 보세요.

한글 쓰기 받침 ㄴ이 들어간 글자를 써 보세요.

받침 ㄴ

 문 어

 반 지

 손 가 락

 인 어

21

문 어

반 지

손 가 락

인 어

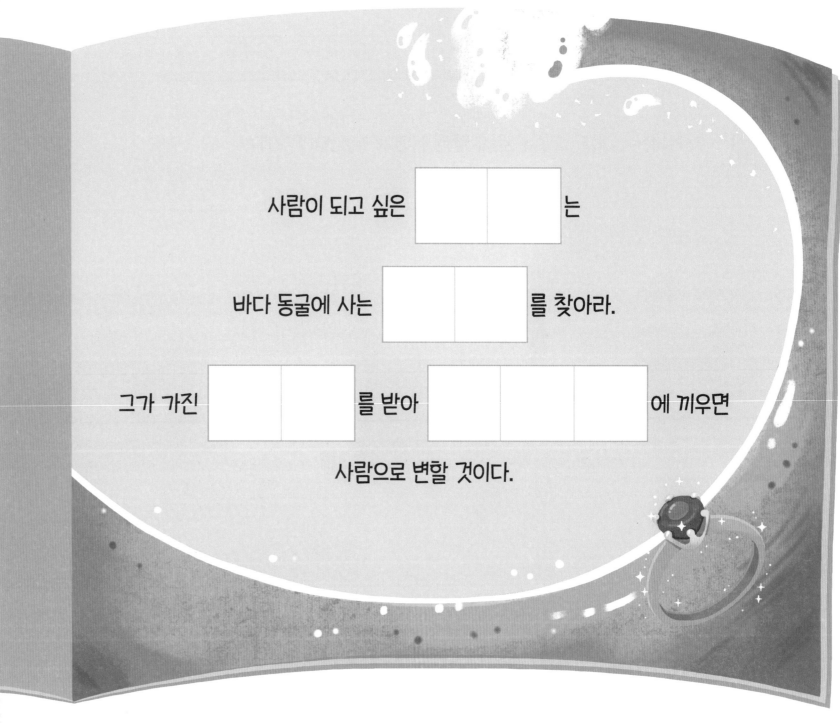

사람이 되고 싶은 ☐☐ 는

바다 동굴에 사는 ☐☐ 를 찾아라.

그가 가진 ☐☐ 를 받아 ☐☐☐ 에 끼우면

사람으로 변할 것이다.

반짝퀴즈 인어가 사람이 되려면 손가락에 무엇을 끼워야 하는지 말해 보세요.

11

월 일

받침 ㄱ이 들어간 글자 ①

음성과 정답
하루한장 앱에서 학습 인증하고 하루템을 모으세요!

학교에 갇힌 고고 박사 **구출하기**

지구에 외계인이 쳐들어왔어요. 외계인을 물리치려면 고고 박사의 도움이 필요해요. 그런데 고고 박사가 학교에 갇히고 말았어요. 앗, 지금 박사에게서 문자 메시지가 왔네요. 서둘러 고고 박사를 찾아야 해요.

한글 읽기

가리키는 그림의 이름으로 알맞은 것을 골라 ○표 하세요.

학교
합교

벗
벽

얌
약

박사
반사

23

한글 쓰기

받침 ㄱ이 들어간 글자를 써 보세요.

받침 ㄱ

 박 사

 벽

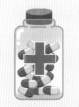 약

 학 교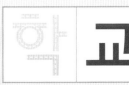

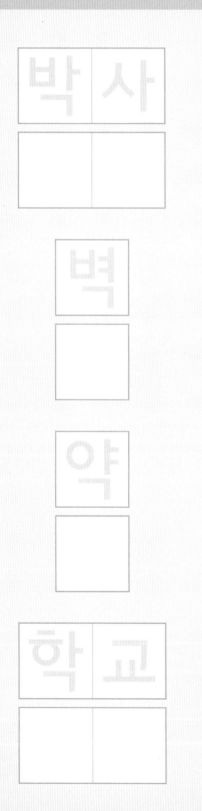

안녕하세요. 고고 ☐☐ 입니다.

저는 지금 ☐☐ 에 갇혀 있습니다.

2층 과학실 ☐ 에 숨겨진 문을 열면 제가 있습니다.

제가 만든 ☐ 을 가져가서

외계인을 물리쳐 주세요!

보내기

반짝퀴즈 외계인을 물리치려면 무엇을 가져가야 하는지 말해 보세요.

24

음성과 정답

하루한장 앱에서
학습 인증하고
하루템을 모으세요!

생쥐 가족의 점심 식사 작전 세우기

생쥐 가족은 집 벽에 난 작은 구멍 속에 살고 있어요. 어느 날 먹을 것이 다 떨어지자 생쥐 가족은 회의를 했어요. 집에 사는 사람들이 외출한 사이에 음식을 몰래 가져오기로 했지요. 아빠 쥐가 작전을 세우네요. 어떤 작전인지 읽어 볼까요?

 **한글 읽기**

가리키는 그림의 이름으로 알맞은 붙임딱지를 붙여 보세요.

한글 쓰기 받침 ㄱ이 들어간 글자를 써 보세요.

받침 ㄱ

 북

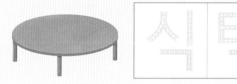 식탁

 오 수 수

 호 박

25

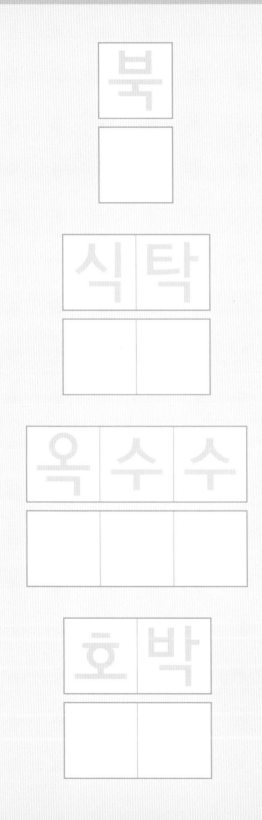

〈생쥐 가족의 점심 식사 대작전〉

• 엄마 쥐: ☐☐ 에서 ☐☐☐ 가져오기

• 아빠 쥐: 바구니에 담긴 ☐☐ 가져오기

• 아기 쥐: 사람들이 돌아오면 ☐ 을 쳐서 알리기

반짝퀴즈 사람들이 돌아오면 아기 쥐는 무엇을 쳐야 하는지 말해 보세요.

26

받침 ㄴ, 받침 ㄱ

도움말 아래의 낱말을 자유롭게 선택하여 오른쪽의 받아쓰기를 진행해 보세요.

각 받침이 들어간 피자 조각만 먹을 수 있어요. 두 피자 중에서 더 많은 조각을 먹을 수 있는 것에 ○표 하세요.

내 피자는 '받침 ㄴ'이 들어간 조각만 먹을 수 있어.

내 피자는 '받침 ㄱ'이 들어간 조각만 먹을 수 있어.

받침 ㄴ

우산	북
자전거	벽
안경	박사
신발	인어

받침 ㄱ

약	손가락
문어	반지
학교	식탁
호박	옥수수

받아쓰기

불러 주는 낱말을 빈칸에 써 보세요.

1

2

3

4

5

음성과 정답
하루한장 앱에서 학습 인증하고 하루템을 모으세요!

6			

7			

8			

9			

10			

엄마 쥐와 아빠 쥐가 아기 쥐에게 갈 수 있도록 길을 따라가 보세요.

받침 ㅂ이 들어간 글자 ①

하루한장 앱에서 학습 인증하고 하루템을 모으세요!

경찰에게 도움 요청하기 🔊

하루 상점의 주인 바바는 오늘도 즐겁게 상점의 문을 열었어요. 그런데 이게 무슨 일이죠? 상점이 엉망이 되어 있었어요.
사라진 물건까지 있네요. 바바는 경찰한테 도움을 요청하려고 해요. 함께 편지를 써 볼까요?

한글 읽기

가리키는 그림의 이름으로 알맞은 붙임딱지를 붙여 보세요.

손잡이

손톱

입술

장갑

손 잡 이

손 톱

입 술

장 갑

안녕하세요. 저는 하루 상점의 주인 바바예요.

하루 상점에 도둑이 들었어요.

없어진 물건은 ☐☐ 에 바르는 화장품과

보라색 ☐☐ 이에요.

문의 ☐☐☐ 에 범인이

☐☐ 으로 낸 자국이 남아 있어요.

범인을 꼭 잡아 주세요!

반짝퀴즈 범인의 손톱자국이 문의 어느 부분에 남아 있는지 말해 보세요.

받침 ㅂ이 들어간 글자 ❷

 음성과 정답
하루한장 앱에서
학습 인증하고
하루템을 모으세요!

한글 쓰기
받침 ㅂ이 들어간 글자를
써 보세요.

받침 ㅂ

칭찬 스티커 붙이기 🔊

미래는 잘한 일이 있을 때마다 부모님께 칭찬 스티커를 받기로 했어요. 칭찬 스티커판에 스티커를 모두 붙이면 부모님이
미래의 소원을 하나 들어주기로 했대요. 미래가 어떤 일을 잘해야 할지 한번 살펴볼까요?

한글 읽기

각 그림에 알맞은 이름을 따라가 보세요.

컵
접시
서랑
서랍
전시
밥
컵
밤

 서랍

밥

  접시

  서랍

 컵

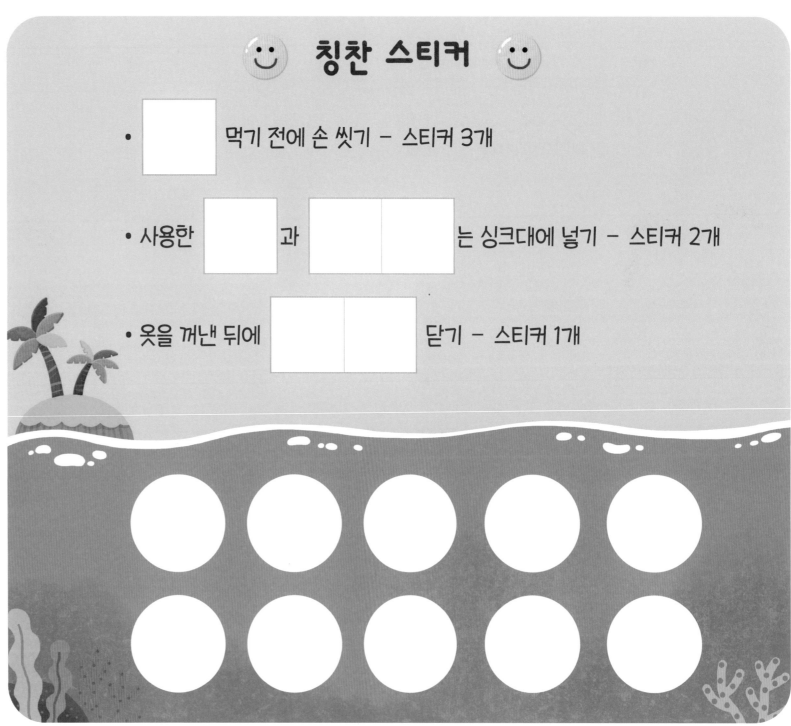

😊 **칭찬 스티커** 😊

• ☐ 먹기 전에 손 씻기 – 스티커 3개

• 사용한 ☐ 과 ☐☐ 는 싱크대에 넣기 – 스티커 2개

• 옷을 꺼낸 뒤에 ☐☐ 닫기 – 스티커 1개

반짝퀴즈 미래는 밥을 먹기 전에 손을 씻었어요. 미래가 받을 스티커 수만큼 판에 색칠해 보세요.

받침 ㅅ이 들어간 글자 ❶

받침 ㅅ

꼬마 마녀 샤샤의 마법 약 만들기 🔊

안녕, 여러분! 나는 꼬마 마녀 샤샤야. 오늘은 멋진 마법 약을 만들어 보려고 해. 이 약을 마시면 하늘에 둥실둥실 떠오를 수 있어. 어때, 멋있지? 마법 책에 나온 대로만 하면 돼. 우리 같이 마법 약을 만들어 보자.

한글 읽기

가리키는 그림의 이름으로 알맞은 붙임딱지를 붙여 보세요.

한글 쓰기
받침 ㅅ이 들어간 글자를 써 보세요.

 그릇

 깃털

 버섯

 빗자루

그릇

깃털

버섯

빗자루

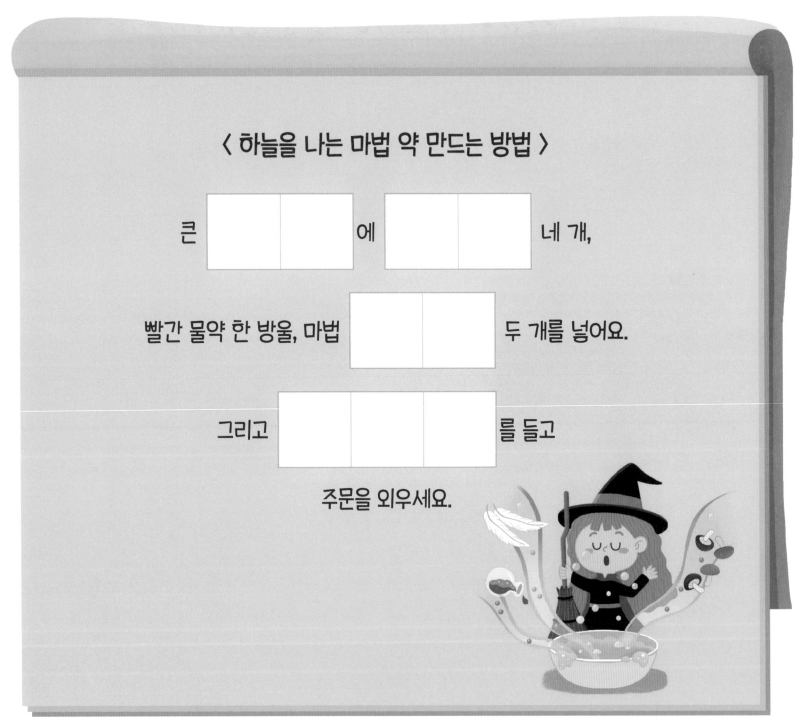

〈 하늘을 나는 마법 약 만드는 방법 〉

큰 [　　] 에 [　　] 네 개,

빨간 물약 한 방울, 마법 [　　] 두 개를 넣어요.

그리고 [　　　] 를 들고

주문을 외우세요.

반짝퀴즈 주문을 외울 때 들고 있어야 하는 것은 무엇인지 말해 보세요.

받침 ㅅ이 들어간 글자 ②

음성과 정답
하루한장 앱에서 학습 인증하고 하루템을 모으세요!

착한 어린이에게 줄 상장 만들기 🔊

나는 산타클로스 할아버지랍니다. 올해에는 착한 일을 많이 한 어린이들에게 선물과 함께 특별히 상장도 주려고 해요.
서은이에게 줄 상장을 만들 차례예요. 멋진 상장을 만들 수 있게 여러분이 나를 도와주세요.

 **한글 읽기**

가리키는 그림의 이름으로 알맞은 붙임딱지를 붙여 보세요.

한글 쓰기 받침 ㅅ이 들어간 글자를 써 보세요.

받침 ㅅ

 도  도넛

 로  로봇

 머 리 빗

 옷

35

착한 어린이상

서은이는 맛있는 ☐☐ 을 동생에게 양보하고

☐ 도 차곡차곡 정리했으므로,

이 상장과 멋진 ☐☐ 장난감,

예쁜 ☐☐☐ 을 주어 칭찬합니다.

20○○년 12월 25일
산타클로스 할아버지

반짝퀴즈 서은이는 동생에게 무엇을 양보했는지 말해 보세요.

받침 ㅂ, 받침 ㅅ

음성과 정답
하루한장 앱에서
학습 인증하고
하루템을 모으세요!

도움말 아래의 낱말을 자유롭게 선택하여 오른쪽의 받아쓰기를 진행해 보세요.

힌트 대로 길을 따라가면 외계인 슈슈가 여행할 별이 나와요. 슈슈가 가게 될 별에 ○표 하세요.

힌트
'받침 ㅂ'이 들어간 낱말 : → '받침 ㅅ'이 들어간 낱말 : ↓

출발

밥	옷	손잡이	도넛
장갑	컵	서랍	빗자루
입술	손톱	머리빗	로봇
버섯	깃털	그릇	접시

받아쓰기

불러 주는 낱말을 빈칸에 써 보세요.

1

2

3

4

5

6			

7			

8			

9			

10			

다음 그림에서 똑같은 모습을 한 너구리 두 마리를 찾아 ○표 하세요.

여러 받침이 들어간 글자 ❶

19 월 일

음성과 정답

하루한장 앱에서
학습 인증하고
하루템을 모으세요!

새연이네 가족의 식사 당번표 보기 🔊

새연이네 가족은 매일 식사 준비 당번이 바뀐대요. 오늘은 새연이와 아빠가 저녁 식사를 준비하고 있네요. 새연이네 식사 당번표를 보면 누가 무엇을 해야 하는지 알 수 있대요. 함께 읽어 볼까요?

 **한글 읽기**

가리키는 그림의 이름으로 알맞은 것을 골라 ○표 하세요.

밥솥
밥솥

앞치마
앞치마

숫가락
숟가락

부엌
부억

 **한글 쓰기**

여러 받침이 들어간
글자를 써 보세요.

여러 받침

밥솥

부엌

숟가락

앞치마

39

식사 당번이 할 일

| | 에서 일할 때에는 |

모두 해요

| | 두르기 |

어른이 해요

| | 에 밥을 짓기 |

아이가 해요

식탁에 | | | 과 젓가락 놓기

오늘의 당번: 아빠, 새연

반짝퀴즈 식사 당번이 부엌에서 일할 땐 무엇을 둘러야 하는지 말해 보세요.

 **20** 월 일

여러 받침이 들어간 글자 ❷

 하루한장 앱에서 학습 인증하고 하루템을 모으세요!

요정의 숲 입구에 세울 안내판 쓰기 🔊

요정들은 깊숙한 숲속에 모여 살아요. 그런데 언제부터인가 사람들이 요정의 숲에 찾아와서 요정들이 편히 쉴 수 없대요.
요정들이 편하게 낮잠을 잘 수 있도록 요정의 숲 입구에 안내판을 세워 볼까요?

 **한글 읽기**

가리키는 그림의 이름으로 알맞은 것을 골라 ○표 하세요.

빛
빗

낮잠
낫잠

숩
숲

잎
입

한글 쓰기

여러 받침이 들어간 글자를 써 보세요.

  낮잠

 빛

 숲

  잎

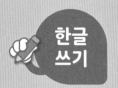

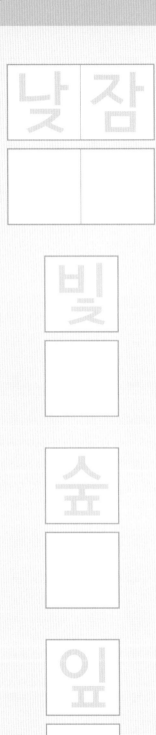

한글 쓰기

다음 낱말을 써 보세요.

낮잠

빛

숲

잎

받아쓰기

불러 주는 낱말을 빈칸에 써서 글을 완성해 보세요.

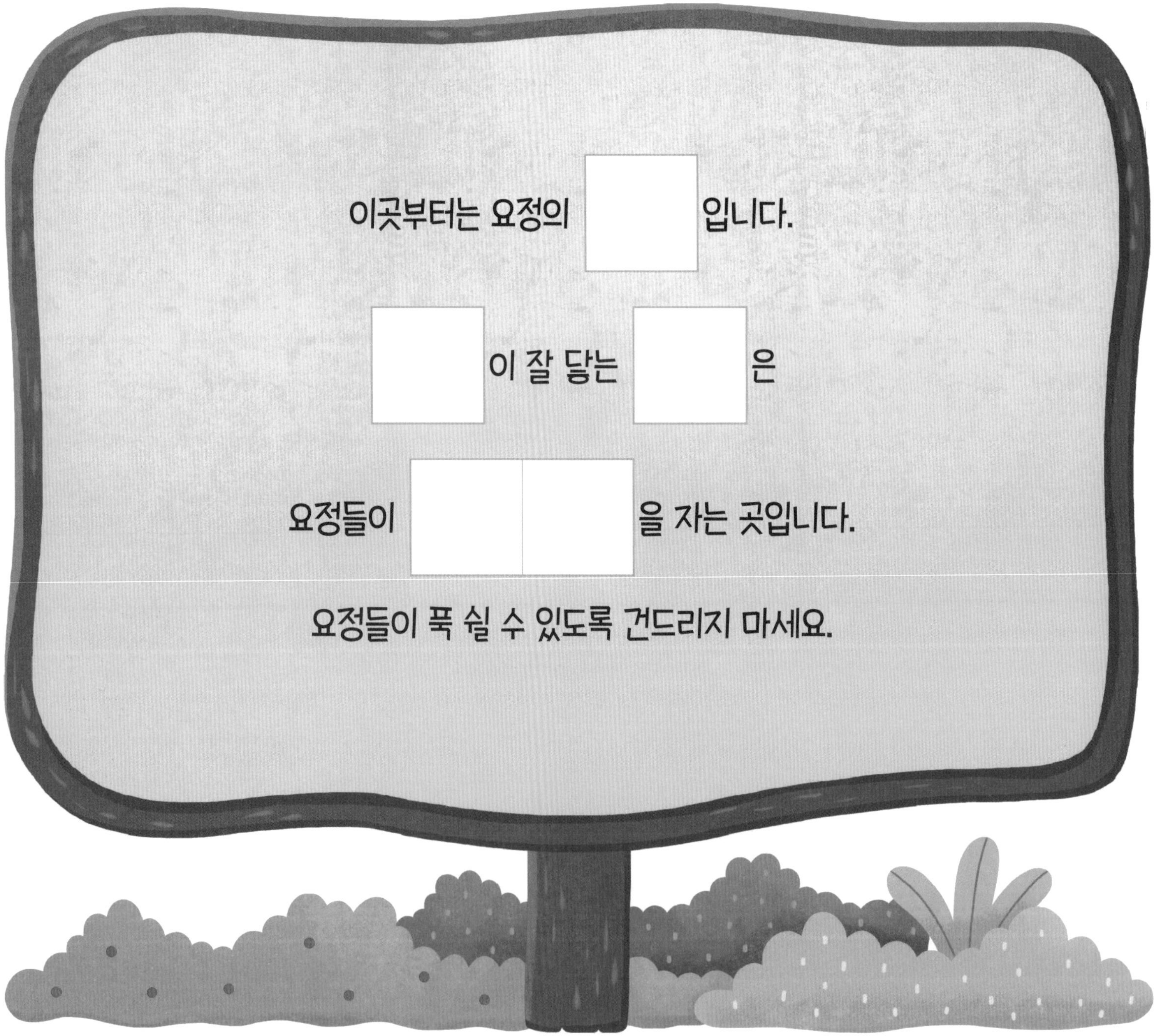

이곳부터는 요정의 □ 입니다.
□ 이 잘 닿는 □ 은
요정들이 □□ 을 자는 곳입니다.
요정들이 푹 쉴 수 있도록 건드리지 마세요.

반짝퀴즈 요정들이 낮잠을 자는 곳은 어디인지 말해 보세요.

되돌아보기
여러 받침

도움말 아래의 낱말을 자유롭게 선택하여 오른쪽의 받아쓰기를 진행해 보세요.

글자의 받침에 따라 아이스크림 색이 달라요. 각 낱말에 알맞은 색을 칠해 보세요.

받아쓰기

불러 주는 낱말을 빈칸에 써 보세요.

1

2

3

4

43

다음 그림에서 숨은 그림 다섯 개를 모두 찾아 ○표 하세요.

우산, 별, 머리빗, 안경, 숟가락

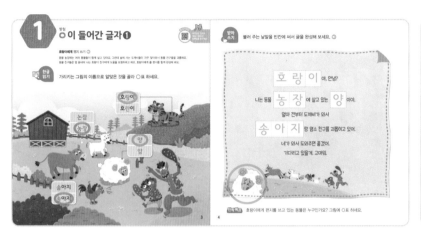
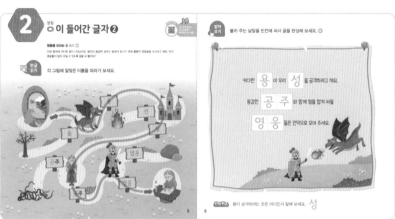

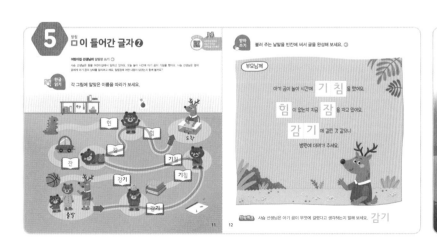

✏️ 받아쓰기 대본

1 받침 ㅇ이 들어간 글자 ❶

호랑이야, 안녕? 나는 동물 농장에 살고 있는 양이야. 얼마 전부터 도깨비가 와서 송아지랑 염소 친구를 괴롭히고 있어. 네가 와서 도와주면 좋겠어. 기다리고 있을게. 고마워.

2 받침 ㅇ이 들어간 글자 ❷

커다란 용이 우리 성을 공격하려고 해요. 용감한 공주와 함께 힘을 합쳐 싸울 영웅들은 언덕으로 모여 주세요.

4 받침 ㅁ이 들어간 글자 ❶

오늘 가족들과 소풍을 갔다. 하늘에 구름이 예쁘게 떠 있고 바람도 살랑살랑 불었다. 점심으로 우리 가족이 직접 싼 김밥을 맛있게 먹었고, 아빠가 간식으로 달콤한 솜사탕도 사 주셨다. 정말 행복한 하루였다.

5 받침 ㅁ이 들어간 글자 ❷

아기 곰이 놀이 시간에 기침을 했어요. 힘이 없는지 지금 잠을 자고 있어요. 감기에 걸린 것 같으니 병원에 데려가 주세요.

6 받침 ㄹ이 들어간 글자 ❶

하늘 마을에 사는 토리는 어부예요. 보름달이 뜨는 밤이 되면 구름을 타고 둥둥 떠다니다가 그물을 던져 별을 잡아요.

받아쓰기 대본

정답

7 받침 ㄹ이 들어간 글자 ❷

마법의 숲에서부터 괴물의 발자국을 따라가면 돌들이 쌓여 있어요. 그것들을 차우면 동굴에 들어갈 수 있어요. 그 안에 보물이 있습니다.

9 받침 ㄴ이 들어간 글자 ❶

〈범인의 모습〉
1. 안경을 썼어요.
2. 신고 있는 신발은 운동화예요.
3. 자전거는 타지 않았어요.
4. 우산을 들고 있어요.

10 받침 ㄴ이 들어간 글자 ❷

사람이 되고 싶은 인어는 바다 동굴에 사는 문어를 찾아라. 그가 가진 반지를 받아 손가락에 끼우면 사람으로 변할 것이다.

11 받침 ㄱ이 들어간 글자 ❶

안녕하세요. 고고 박사입니다. 저는 지금 학교에 갇혀 있습니다. 2층 과학실 벽에 숨겨진 문을 열면 제가 있습니다. 제가 만든 약을 가져가서 외계인을 물리쳐 주세요!

12 받침 ㄱ이 들어간 글자 ❷

〈생쥐 가족의 점심 식사 대작전〉
• 엄마 쥐: 식탁에서 옥수수 가져오기
• 아빠 쥐: 바구니에 담긴 호박 가져오기
• 아기 쥐: 사람들이 돌아오면 북을 쳐서 알리기

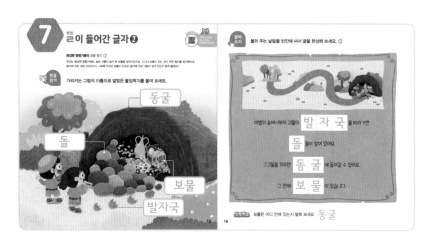

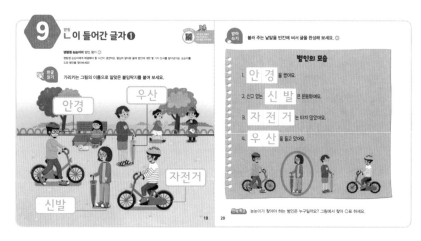
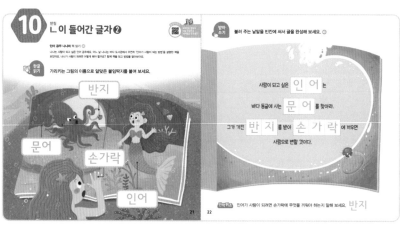
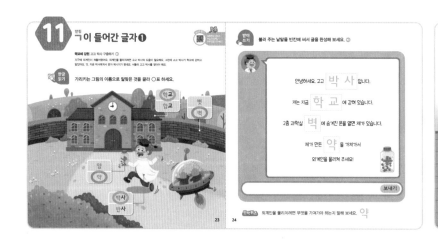
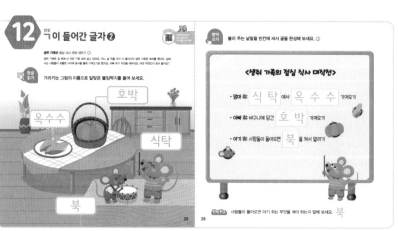

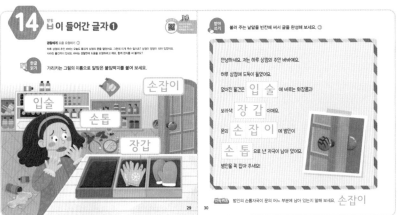

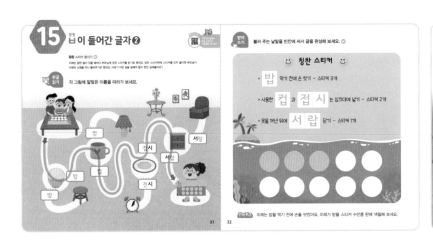

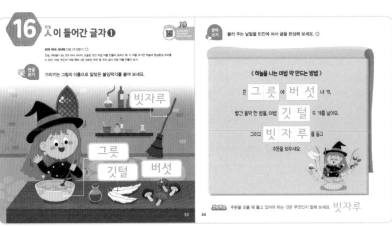

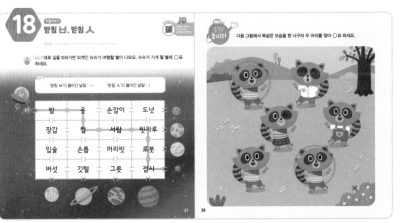

14 받침 ㅂ이 들어간 글자 ❶

안녕하세요. 저는 하루 상점의 주인 바바예요.
하루 상점에 도둑이 들었어요. 없어진 물건은
입술에 바르는 화장품과 보라색 장갑이에요. 문의
손잡이에 범인이 손톱으로 낸 자국이 남아 있어요.
범인을 꼭 잡아 주세요!

15 받침 ㅂ이 들어간 글자 ❷

〈칭찬 스티커〉

• 밥 먹기 전에 손 씻기 – 스티커 3개
• 사용한 컵과 접시는 싱크대에 넣기 – 스티커 2개
• 옷을 꺼낸 뒤에 서랍 닫기 – 스티커 1개

16 받침 ㅅ이 들어간 글자 ❶

〈하늘을 나는 마법 약 만드는 방법〉

큰 그릇에 버섯 네 개, 빨간 물약 한 방울, 마법
깃털 두 개를 넣어요. 그리고 빗자루를 들고 주문
을 외우세요.

17 받침 ㅅ이 들어간 글자 ❷

〈착한 어린이상〉

서은이는 맛있는 도넛을 동생에게 양보하고 옷
도 차곡차곡 정리했으므로, 이 상장과 멋진 로봇
장난감, 예쁜 머리빗을 주어 칭찬합니다.

✏️ 받아쓰기 대본

정답

19 여러 받침이 들어간 글자①

〈식사 당번이 할 일〉

모두 해요: 부엌에서 일할 때에는 앞치마 두르기

어른이 해요: 밥솥에 밥을 짓기

아이가 해요: 식탁에 숟가락과 젓가락 놓기

20 여러 받침이 들어간 글자②

이곳부터는 요정의 숲입니다. 빛이 잘 닿는 잎은
요정들이 낮잠을 자는 곳입니다. 요정들이 푹 쉴
수 있도록 건드리지 마세요.

9쪽	15쪽	19쪽	21쪽	25쪽	29쪽
구름	돌	신발	문어	북	손잡이
김밥	동굴	안경	반지	식탁	손톱
바람	발자국	우산	손가락	옥수수	입술
솜사탕	보물	자전거	인어	호박	장갑

33쪽	35쪽
그릇	도넛
깃털	로봇
버섯	머리빗
빗자루	옷

🖤 이름표로 활용하세요.

이름	이름
이름	이름
이름	이름
이름	이름

미래엔 초등 도서 목록

초등 교과서 발행사 미래엔의 교재로
초등 시기에 길러야 하는 공부력을
강화해 주세요.

초코

교과서 달달 쓰기 · 교과서 달달 풀기
1~2학년 국어 · 수학 교과 학습력을 향상시키고
초등 코어를 탄탄하게 세우는 기본 학습서
[4책] 국어 1~2학년 학기별
[4책] 수학 1~2학년 학기별

미래엔 교과서 길잡이, 초코
초등 공부의 핵심[CORE]를 탄탄하게 해 주는
슬림 & 심플한 교과 필수 학습서
[8책] 국어 3~6학년 학기별, [8책] 수학 3~6학년 학기별
[8책] 사회 3~6학년 학기별, [8책] 과학 3~6학년 학기별

전과목 단원평가
빠르게 단원 핵심을 정리하고, 수준별 문제로 실전력을 키우
는 교과 평가 대비 학습서
[8책] 3~6학년 학기별

문제 해결의 길잡이

원리   8가지 문제 해결 전략으로 문장제와 서술형 문제 정복
       [12책] 1~6학년 학기별

심화   문장제 유형 정복으로 초등 수학 최고 수준에 도전
       [6책] 1~6학년 학년별

퍼즐리

초등 필수 어휘를 퍼즐로 재미있게 키우는 학습서
[3책] 사자성어, 속담, 맞춤법

하루한장 예비 초등

한글완성
초등학교 입학 전 한글 읽기·쓰기 동시에 끝내기
[3책] 기본 자모음, 받침, 복잡한 자모음

예비초등
기본 학습 능력을 향상하며 초등학교 입학을 준비하기
[4책] 국어, 수학, 통합교과, 학교생활

하루한장 독해

독해 시작편
초등학교 입학 전 기본 문해력 익히기 30일 완성
[2책] 문장으로 시작하기, 짧은 글 독해하기

어휘
문해력의 기초를 다지는 초등 필수 어휘 학습서
[6책] 1~6단계

독해
국어 교과서와 연계하여 문해력의 기초를 다지는 독해 기본서
[6책] 1~6단계

독해+플러스
본격적인 독해 훈련으로 문해력을 향상시키는 독해 실전서
[6책] 1~6단계

비문학 독해 (사회편·과학편)
비문학 독해로 배경지식을 확장하고 문해력을 완성시키는
독해 심화서
[사회편 6책, 과학편 6책] 1~6단계

하루한장 쏙셈

쏙셈 시작편
초등학교 입학 전 연산 시작하기
[2책] 수 세기, 셈하기

쏙셈
교과서에 따른 수·연산·도형·측정까지 계산력 향상하기
[12책] 1~6학년 학기별

창의력 쏙셈
문장제 문제부터 창의·사고력 문제까지 수학 역량 키우기
[12책] 1~6학년 학기별

쏙셈 분수·소수
3~6학년 분수·소수의 개념과 연산·원리를 집중 훈련하기
[분수 2책, 소수 2책] 1~2권

하루한장 한자

그림 연상 한자로 교과서 어휘를 익히고 급수 시험까지 대비하기
[총12책] 1~6학년 학기별

하루한장 ENGLISH BITE

ENGLISH BITE 알파벳 쓰기
알파벳을 보고 듣고 따라쓰며 읽기·쓰기 한 번에 끝내기
[1책]

ENGLISH BITE 파닉스
자음과 모음 결합 과정의 발음 규칙 학습으로
영어 단어 읽기 완성
[2책] 자음과 모음, 이중자음과 이중모음

ENGLISH BITE 사이트 워드
192개 사이트 워드 학습으로 리딩 자신감 키우기
[2책] 단계별

ENGLISH BITE 영문법
문법 개념 확인 영상과 함께 영문법 기초 실력 다지기
[Starter 2책, Basic 2책] 3~6학년 단계별

ENGLISH BITE 영단어
초등 영어 교육과정의 학년별 필수 영단어를
다양한 활동으로 익히기
[4책] 3~6학년 단계별

하루한장 한국사

큰별★쌤 최태성의 한국사
최태성 선생님의 재미있는 강의와 시각 자료로
역사의 흐름과 사건을 이해하기
[3책] 3~6학년 시대별

한글완성
2 받침

MiraeN 에듀

신뢰받는 미래엔
미래엔은 "Better Content, Better Life" 미션 실행을 위해
탄탄한 콘텐츠의 교과서와 참고서를 발간합니다.

소비자의 선택
The Best Brand of the
Chosen by CONSUMER

NCDB 국가 소비자중심
브랜드 대상

소통하는 미래엔
미래엔의 [도서 오류] [정답 및 해설] [도서 내용 문의] 등은
홈페이지를 통해서 확인이 가능합니다.

Contact Mirae-N
www.mirae-n.com
(우)06532 서울시 서초구 신반포로 321
1800-8890

함께하는 미래엔

모바일
홈페이지

미래엔 에듀
초등맘 카페

제조자명: ㈜미래엔
주소: 서울시 서초구
신반포로 321
제조국명: 대한민국
사용연령: 5세~7세

63710
9 791164 139583
ISBN 979-11-6413-958-3

KC마크는 이 제품이 공통안전기준에 적합하였음을 의미합니다.

정가 6,000원

초등학교 국어 공부가 즐거워진다!
국어 실력이 쑥쑥 자란다!

독해 시작편(예비초등~1학년, 단계별)
- 초등 입학 전 기본 문해력 기르기
- 문장 독해 - 짧은 글 독해로 체계적 독해 학습
- 하루 한 장씩 뽑아 6주에 완성하는 일일 학습지
- 쓰기장 별도 제공

교재
미리보기

어휘(1~6학년, 단계별)
- 초등 학습에 필요한 필수 어휘 익히기
- 다양한 스토리로 익히는 어휘의 뜻과 쓰임
- 교과 내용과 생활 예문에 적용하여 문해력까지 향상
- 하루 한 장씩 뽑아 8주에 완성하는 일일 학습지

교재
미리보기

이름

초등학교 입학 전 한글 읽기·쓰기 동시에 끝내기

하루 한장

한글완성

2 받침

하루 한 장으로 완성하는 재미있는 한글 학습

읽기와 쓰기를 함께 익히는 효율적인 한글 학습

초등 받아쓰기까지 준비하는 앞서가는 한글 학습

이 책은 하루 한 장씩
한글 읽기·쓰기를 학습한 후,
뜯어서 낱말 사전을 만들 수
있도록 구성되어 있습니다.

APP 다운로드

하루 한장 학습 관리 앱
손쉬운 학습 관리로 올바른 공부 습관을 키워요!

Mirae N 에듀

초등학교 입학 전 한글 읽기·쓰기 동시에 끝내기

한글완성

1 기본 자모음

2 받침

3 복잡한 자모음

WRITERS

미래엔콘텐츠연구회

No.1 Content를 개발하는 교육 전문 콘텐츠 연구회

COPYRIGHT

인쇄일 2024년 1월 15일(1판6쇄)
발행일 2021년 11월 1일

펴낸이 신광수
펴낸곳 (주)미래엔
등록번호 제16-67호

융합콘텐츠개발실장 황은주
개발책임 정은주 **개발** 장하연, 박누리, 한솔

디자인실장 손현지
디자인책임 김병석 **디자인** 유화연

CS본부장 강윤구
제작책임 강승훈

ISBN 979-11-6413-958-3